VIRUS

Illustrations : Victor Medina
Texte : Valeria Barattini et Mattia Crivellini

 **Broquet**

97-B, montée des Bouleaux, Saint-Constant, Qc, Canada, J5A 1A9
www.broquet.qc.ca / info@broquet.qc.ca
Tél. : 450 638-3338 / Téléc. : 450 638-4338

Ooooh! **BIEN JOUÉ!**
Tu dois utiliser un **MICROSCOPE**
spécial si tu veux me voir.

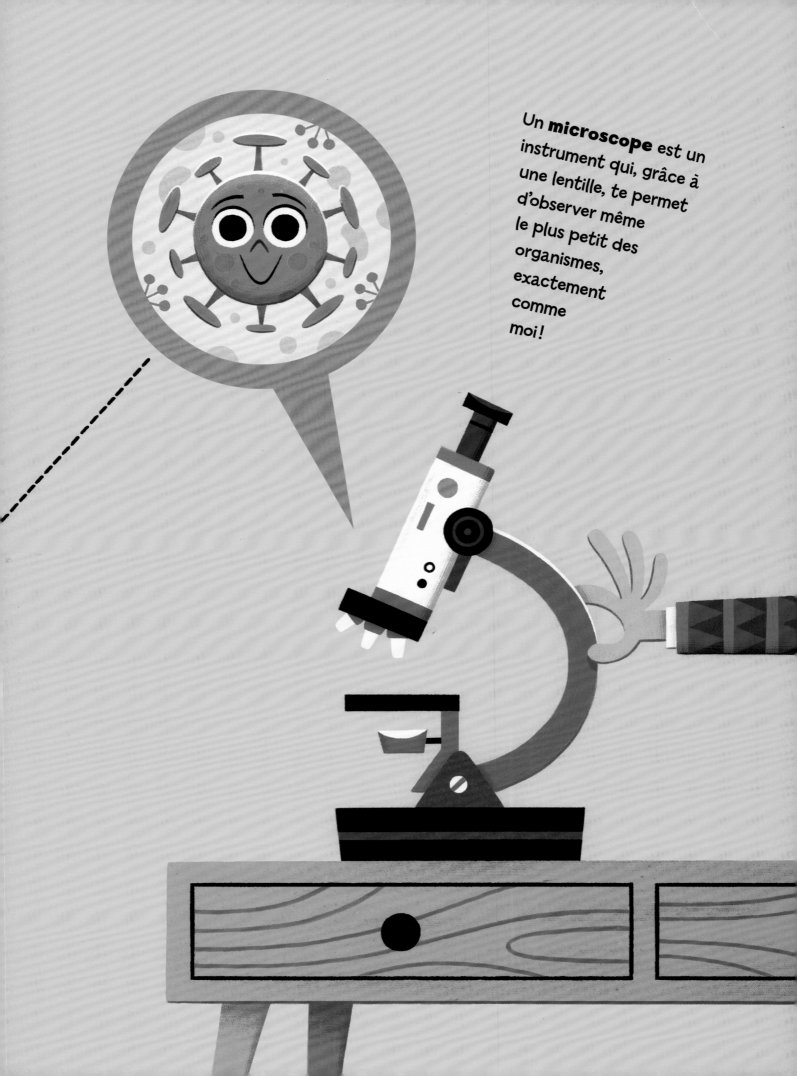

Un **microscope** est un instrument qui, grâce à une lentille, te permet d'observer même le plus petit des organismes, exactement comme moi!

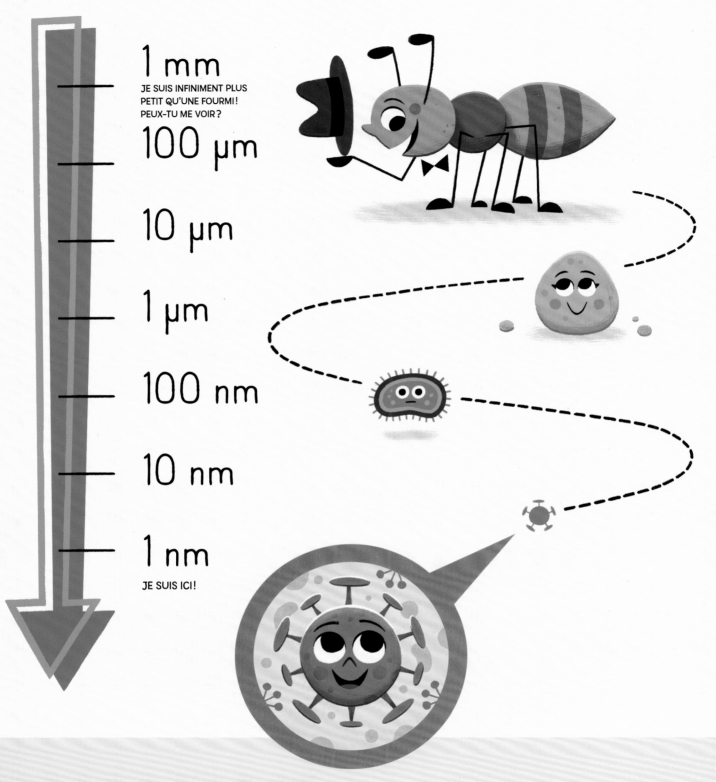

1 mm
JE SUIS INFINIMENT PLUS PETIT QU'UNE FOURMI! PEUX-TU ME VOIR?

100 µm

10 µm

1 µm

100 nm

10 nm

1 nm
JE SUIS ICI!

Salut! Je suis **OLLIE**, et je suis un virus. Je suis vraiment petit, plus petit qu'une **fourmi**. Je suis plus petit qu'une miette de pain ou qu'une graine, et encore plus petit que la plus petite partie de ton **corps**.

Nous sommes très différents des humains.

Nous ne dormons pas, nous ne faisons pas de devoirs et nous ne faisons même pas caca !

Les virus sont très **pots de colle**,

ils adorent **voyager**

et ils sont très doués pour jouer à **cache-cache**.

Il y a des **milliards** de virus sur Terre !
Presque autant que d'étoiles dans le ciel !
Tu peux nous trouver partout :

dans les
OCÉANS
profonds,

dans la **GLACE**
polaire, les **FORÊTS**
sauvages,

dans les **VILLES**
bondées, et nous
vivons même dans
et sur ton corps !

Laisse-moi te présenter ma famille.
Je te présente les **coronavirus**!
Je suis le petit dernier.

C'est un drôle de nom, non? *Corona* est le
mot latin pour **COURONNE**, et nous avons
des **PIQUES** en forme de couronne sur
notre surface, d'où le nom.

Nous sommes peut-être petits,
mais nous savons laisser notre marque!
C'est parce que nous pouvons causer de
nombreuses **MALADIES** chez l'être humain.
Chaque membre de la famille des virus a
sa propre **spécialité**.

Voici quelques exemples !

Mon cousin **RHINOVIRUS** cause souvent le **rhume**...

...mon voisin **ROTAVIRUS** te donne **mal au ventre**...

...et mon ami **HERPÈS** te donne la **varicelle** !

Les virus et les humains ont toujours vécu ensemble sur **Terre**. Ce ne fut pas toujours une coexistence facile... Je dois admettre que les virus ont toujours rendu les choses **DIFFICILES** pour les humains. Les **pandémies** causent le plus de ravages.

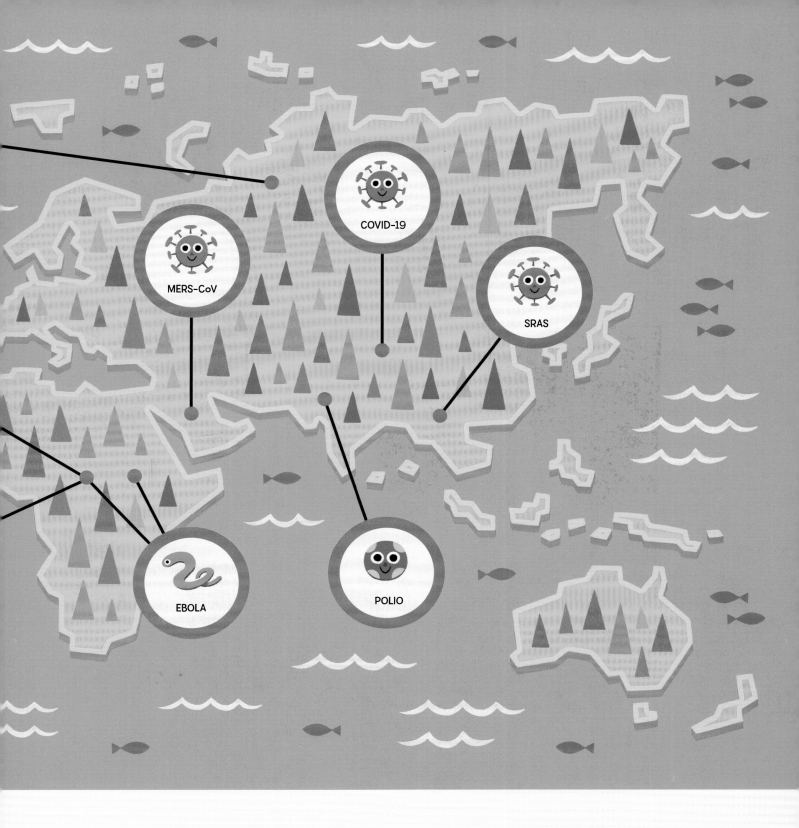

Une pandémie, c'est lorsqu'une maladie se propage à travers le **monde**. La maladie appelée **variole** était une pandémie. Tout comme la **grippe espagnole** en 1918.

COMMENT CRÉONS-NOUS DES PANDÉMIES ?

Facile ! Nous avons un superpouvoir secret :
nous pouvons faire beaucoup de copies
de nous-mêmes, très vite ! **Pan Pan !**
Les virus détestent être seuls.

Nous voulons toujours avoir de la **COMPAGNIE** : les plantes, les animaux et plus.

Par exemple, j'étais un bon ami des **ANIMAUX** de la forêt. Mais d'autres virus préfèrent les animaux qui vivent dans le désert ou dans une ferme.

Mais parfois, nous nous ennuyons !

Et nous voulons voyager à travers le monde
et rencontrer de nouveaux amis !

Et c'est ainsi que j'ai
rencontré des humains
comme toi...
Eh hop !

J'ai décidé de sauter de l'animal qui était
mon ami avant que je **VOUS** rencontre...

Et je dois dire que vous êtes
les compagnons **P-A-R-F-A-I-T-S**
pour voyager à travers le monde!

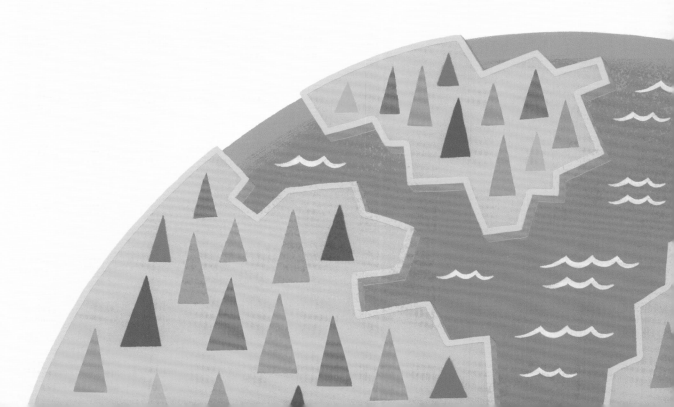

COMMENT EST-IL POSSIBLE POUR NOUS DE VOYAGER AUTANT ?

C'est grâce à vous! Oh oui, tu m'as bien entendu! Nous n'utilisons pas d'avions, de voitures ou de vélos, mais des gens!

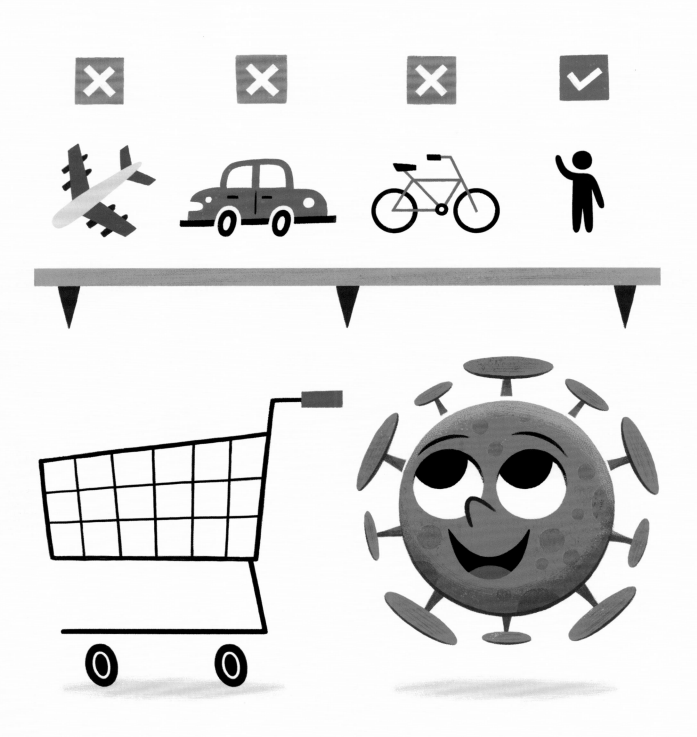

Grâce à vous, on se propage facilement.
Nous pouvons **voyager** plus vite et nous rendre
dans de nombreux endroits lointains.

Par exemple, je me faufile dans votre corps par le **NEZ**, en évitant les poils, et voilà ! Je vais directement dans les **POUMONS**.

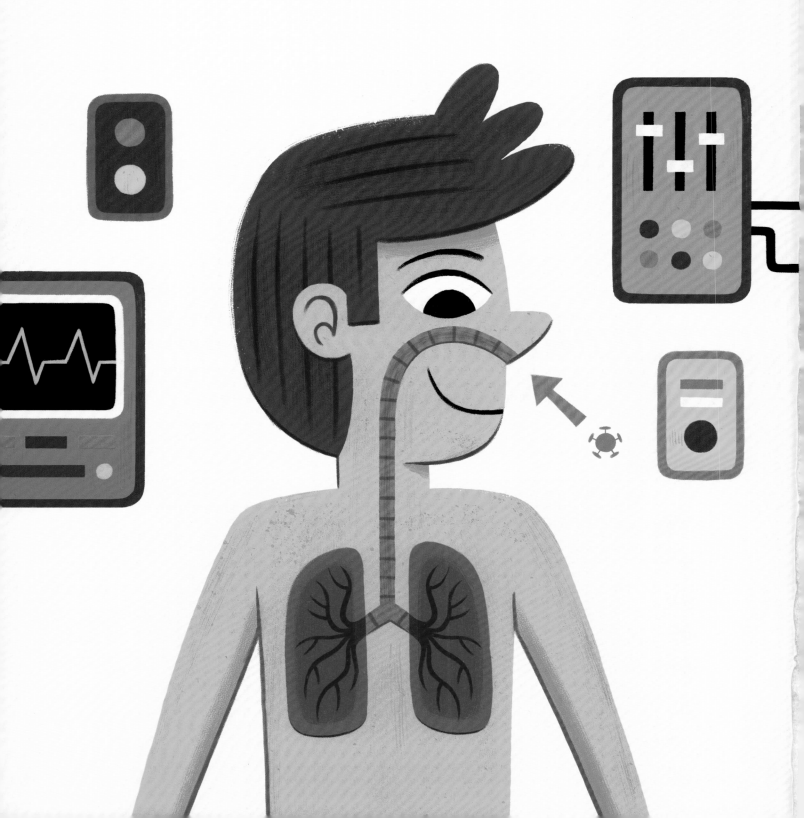

Et je dois admettre que je cause
parfois de graves dommages.
En général, je ne rends les gens
malades que pendant quelques
jours, mais parfois je peux être très
dangereux!

Et si je veux passer à une autre personne,
et continuer mon voyage, il faut juste un
AT... CH... OOOOOOUMMM,
et c'est parti!

Une **toux** peut aussi faire l'affaire, mais
avec un éternuement... **Vrooooom**!
Je fonce, porté par les gouttelettes,
plus vite qu'une voiture de course!

Je suis si fort que j'ai déjà voyagé dans le monde entier! Des **médicaments** sont généralement utilisés pour arrêter mes proches, mais je suis nouveau et les scientifiques n'en savent pas encore assez sur moi.

Les scientifiques mettent au point des **vaccins** pour m'arrêter !

Qu'est-ce qu'un vaccin ? C'est une arme dont nous avons très peur. Elle a été découverte il y a de nombreuses années pour réduire, voire **arrêter**, la propagation de nombreuses maladies. **Voici comment cela fonctionne:** de petites quantités de l'un de nous, c'est-à-dire du virus à vaincre, sont introduites dans le corps humain par injection.

Les **défenses** du corps, qui sont bien plus nombreuses que nous, sont **entraînées** à nous combattre sans trop de risques !

Ce n'est pas très sportif de votre part, si vous vous voulez tout savoir ! **Mais malheureusement pour nous, cela fonctionne...**

SOUPIR
Bien que...
si je suis honnête...

...il y a déjà un moyen de me
ralentir, et de m'empêcher
de sauter d'une personne
à une autre...

Reste à la maison et ne joue pas avec tes amis pendant un certain temps.

C'est le seul moyen de m'empêcher de traîner dans les parages.

C'est pourquoi tu dois manquer **l'école** de temps en temps.

Tu vois, je suis si doué pour me cacher que certaines personnes ne se sentent pas du tout malades, et elles me transportent avec elles sans le savoir et **infectent** d'autres personnes.

Les scientifiques ont même rédigé des règles!

Pour que tous, y compris les enfants, puissent m'empêcher de voyager.

1 – Lave-toi souvent les mains avec du savon et de l'eau.

2 – Ne mets pas tes doigts dans ta bouche.

3 – Ne te cure pas le nez! **(Tu ne devrais pas le faire de toute façon.)**

4 – Ne t'essuie pas le nez avec ta main! Utilise un mouchoir.

5 – Et puis, jette toujours ton mouchoir à la poubelle.

6 – Ne te frotte pas les yeux.
(Je peux aussi me faufiler de cette façon!)

7 – Couvre-toi la bouche et le nez avec ton coude ou un mouchoir lorsque tu tousses ou éternues.

8 – Lorsque tu rencontres d'autres personnes, garde tes distances.

P.-S. Parfois, tu devras porter un **couvre-visage**. De cette façon, tu empêcheras les gouttelettes contenant le virus de se propager! **SI TU SUIS CES RÈGLES, TOUT SERA OK, TU VERRAS.**

Ahh, les humains,
vous êtes intelligents.
Je l'ai su dès que je
vous ai rencontrés !

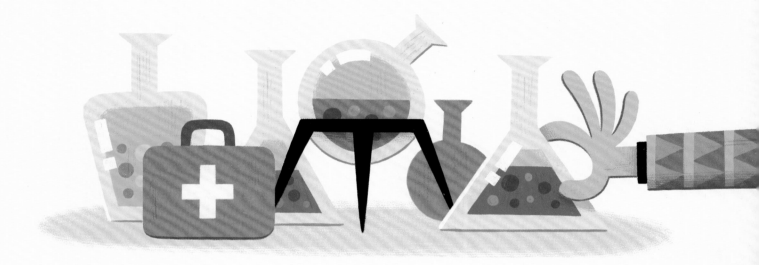

Nous sommes peut-être très
doués pour changer, muter,
sauter et nous cacher, mais vous,
avec toutes vos **études**,
vos **connaissances** et
votre **imagination**, êtes
capables de changer les choses,
de créer un monde **MEILLEUR**.

Ollie, le virus obstiné

À Carlo Urbani, Li Wenliang et à tous les médecins
qui nous regardent du ciel, car ils ont veillé sur
nous pendant chaque épidémie.

Édition originale

White Star Kids® est une marque déposée
propriété de White Star s.r.l.

© 2021 White Star s.r.l.
Piazzale Luigi Cadorna, 6 – 20123 Milan, Italie
www.whitestar.it

Conception graphique : Valentina Figus

Édition canadienne en langue française

Catalogage avant publication de Bibliothèque et
Archives nationales du Québec et Bibliothèque et Archives Canada

Titre : Virus / Valeria Barattini, Mattia Crivellini ;
illustrations, Victor Medina.
Autres titres : Virus. Français
Noms : Barattini, Valeria, auteur. | Crivellini, Mattia, auteur. |
Medina, Victor, illustrateur.
Description : Traduction de : Viruses, qui est une traduction de Virus.
Identifiants : Canadiana 2020009775X | ISBN 9782896546831
Vedettes-matière : RVM : Virus—Ouvrages pour la jeunesse. | RVMGF :
Documents pour la jeunesse.
Classification : LCC QR365.B3714 2021 | CDD j579.2—dc23

Nous reconnaissons l'aide financière du gouvernement du Canada.
We acknowledge the financial support of the Government of Canada. Nous
remercions également livres Canada books™, ainsi que le gouvernement du
Québec : Programme de crédit d'impôt pour l'édition de livres – la Société de
développement des entreprises culturelles (SODEC).

Canadä   Québec

Copyright © Ottawa 2021 Broquet inc.
Dépôt légal – Bibliothèque et Archives nationales du Québec
1er trimestre 2021

Édition : Antoine Broquet
Traduction : Véronique Bureau
Révision : Andrée Laprise

ISBN : 978-2-89654-683-1